自然百科

真果果 主编

中国人口出版社

图书在版编目（CIP）数据

天才小孩认知小百科·自然百科/真果果主编.—北京：中国人口出版社，2009.8
ISBN 978-7-5101-0254-7

I.天… II.真… III.常识课—学前教育—教学参考资料 IV.G613.3

中国版本图书馆CIP数据核字（2009）第139717号

天才小孩认知小百科·自然百科

真果果 主编

出版发行 中国人口出版社
印　　刷 北京地大彩印厂
开　　本 787×1092 1/24
印　　张 12
版　　次 2009年9月第1版
印　　次 2009年9月第1次印刷
书　　号 ISBN 978-7-5101-0254-7

社　　长 陶庆军
网　　址 www.rkcbs.net
电子邮箱 rkcbs@126.com
电　　话 (010) 83519390
传　　真 (010) 83519401
地　　址 北京市宣武区广安门南街80号中加大厦
邮政编码 100054

春夏秋冬

这只小兔子的名字叫小白，小白住在一棵大树里。

春天到了，小白到山上摘很多漂亮的花朵。

小白喜欢追逐蝴蝶，蝴蝶也喜欢围着小白跳舞。

小白还喜欢躺在草地上听小鸟唱歌。

　　夏天，小白经常去池塘边看青蛙。

下雨了，小白在一个大大的蘑菇下躲雨。

小白最喜欢夏天的夜
晚，萤火虫满天飞。

小白把蒲公英的种子吹向四面八方。

秋天到了，树叶飘
来飘去像在跳舞。

深秋的时候，小白和小动物忙着准备过冬的食物。

冬天，小白兴奋地看着雪花从空中飘落下来。

冬天很冷，小白回到了家里，做了一个关于春天的梦。

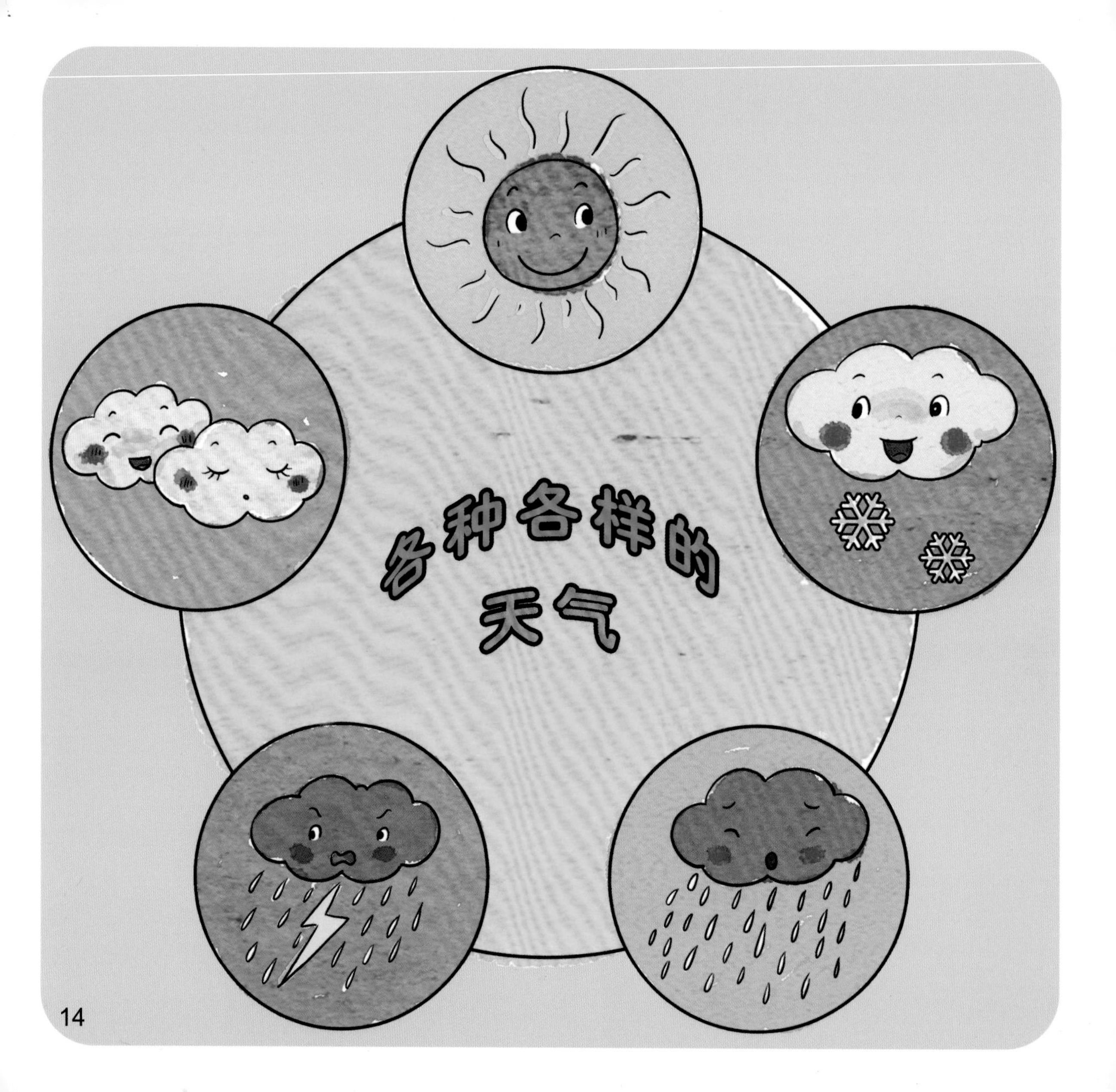
各种各样的
天气

今天是晴天，真暖和，很适合出来玩儿。

看！乌云来了，要下雨了。

下雨要打伞，小狗没有伞，不能出来玩。

天下起了大暴雨，我们谁也出不去了。

天气：雨转晴
气温：18℃
风：东风，1级
雨停了，看，天边有一道彩虹。

天气：晴
气温：33℃
风：西南风，3级
今天天气真热！

起风了，小船跑得快了。

天气：阴天
气温：13℃
风：东北风，5级
好大的风啊！

风停了，一切都平静了。

天气真冷！要多穿一些衣服。

天气：中到大雪
气温：－13℃
风：东北风，2级
我们都睡了，雪在悄悄地下着。

天气：晴
气温：－14℃
风：东北风，2级
雪停了，我们可以尽情地玩儿了。

又是一个晴天！

成长的故事

苹果树的成长

❶

种下一棵苹果树。

❷

苹果树长高了。

❸

苹果树开花了，引来了蜜蜂。

❹

树上结满了苹果。

蒲公英的成长

①

蒲公英的果实被风吹进了泥土里。

②

蒲公英长出了幼苗。

③

蒲公英开花了。

④

蒲公英长出了果实，被风吹到另一个地方。

茄子的成长

❶

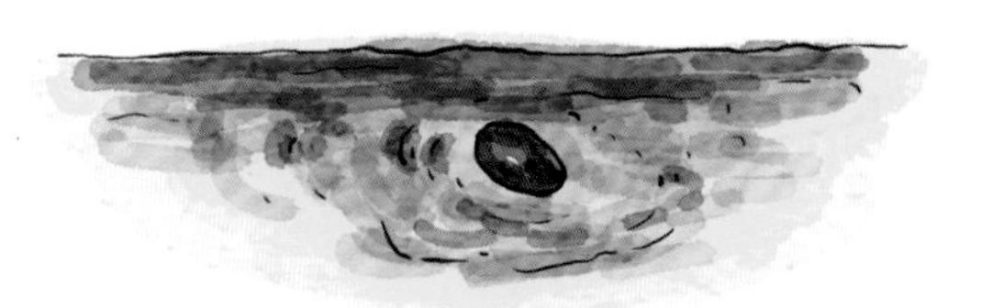

播种下茄子的种子。

❷

茄子长高了。

❸

茄子开出了紫色的花朵。

❹

茄子长大了，可以吃了。

西红柿的成长

①

播种下西红柿的种子。

西红柿长高了。

③

西红柿开出了小黄花。

④

西红柿成熟了。

小鸡的成长

❶

小鸡出壳了。

❷

小鸡慢慢长大了。

❸

小鸡长成了公鸡和母鸡。

❹

母鸡开始孵小鸡了。

蝴蝶的成长

❶

蝴蝶将卵产在叶子上。

❷

虫卵变成了一条毛毛虫。

❸

毛毛虫结了茧。

❹

又一只漂亮的蝴蝶破茧而出。

青蛙的成长

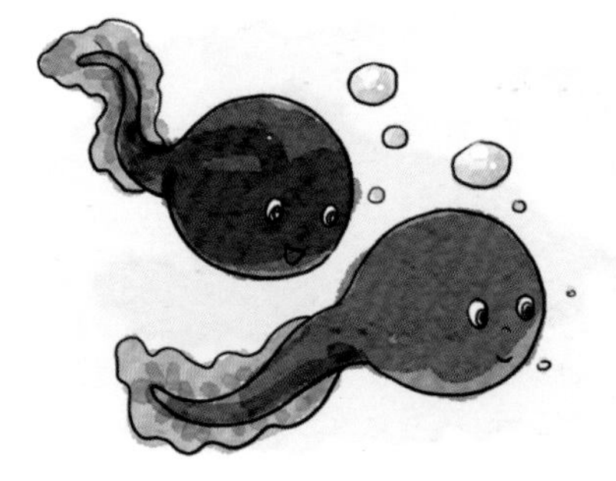

青蛙产的卵变成小蝌蚪。

②

小蝌蚪慢慢长出后腿。

③

小蝌蚪长出前腿。

④

小蝌蚪没有了尾巴，
长成了小青蛙。

鹰的成长

①

一只小鹰破壳而出。

②

小鹰还不会飞，每天等妈妈来喂食。

③

小鹰围着大树学飞翔。

④

小鹰终于飞上了蓝天。

男孩的成长

①

男孩出生了。

②

男孩上学了。

③

男孩成年了，每天都要忙碌地工作。

④

男孩老了，变成了老人。

女孩的成长

❶

女孩出生了。

❷

女孩长大了。

❸

女孩要当妈妈了。

❹

女孩老了，变成了老奶奶。

我真想快快长大……

自然的奥秘

我喜欢观察植物，这花朵是红色的，叶子是绿色的。

看一看

我喜欢观察动物。我盯着青蛙看，青蛙盯着我瞧。

水是透明的，西瓜汁是红色的，橙汁是橙黄色的，我不知道喝哪一杯。

一颗星星划过天空落到了地面上，形成了陨石。

酸 奶

酸奶真酸，但是喝了对身体有好处。

尝一尝

糖果

糖果是甜的，可是糖吃多了对牙齿没有好处。

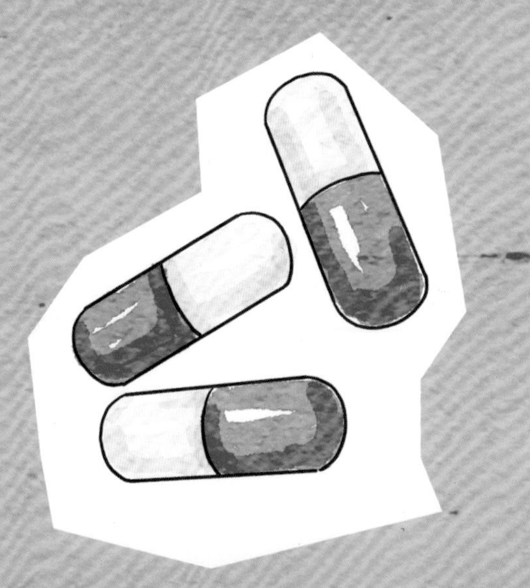

药

尝一尝

药是苦的，小朋友不能随便乱吃药。

辣椒

辣椒是辣的，辣得我流出了眼泪。

小羊

听一听

小羊饿了，朝我叫，

“咩—咩—咩”。

听一听

公鸡

“公鸡闹钟”叫我起床，“喔—喔—喔”。

流 水

水管里流出水来，“哗—啦—啦”，要注意节约用水。

摸一摸

小猫

小猫摸起来毛茸茸的，真舒服。

鱼

摸一摸

小鱼摸起来滑溜溜的，抓不住。

摸一摸

大树

大树摸起来粗糙糙的，有点刺手。

人与自然

小男孩说：“我要养一条大大的鱼。”

小女孩说：“我要种一朵七色的花。”

种花小贴士

不同的花需要不同的土，有的花用一般的沙土就可以，有的花则需要富含肥料的营养土，这种土在花卉市场能买到。

小女孩开始种花。

养鱼小贴士
养热带鱼或者金鱼时，不能直接在鱼缸里倒入自来水，需要将自来水倒入一个桶或盆里，放置几天，然后再倒入鱼缸里。
小男孩开始养鱼。

种花小贴士

有的鲜花种子在播种之前需要用清水浸泡几天。从商店买来花种子之后要仔细看说明书，在爸爸妈妈的指导下来播种。

小女孩在花盆里种下种子。

养鱼小贴士

从市场买来小鱼后，可以用一个小鱼网将小鱼捞进鱼缸里。

小男孩买来小鱼，放进鱼缸里。

种花小贴士

要想使种子发芽，有很多要注意的地方。有的花种下之后，需要覆上塑料膜，扎上小孔再浇水，还要注意种子的保温和保湿。

小女孩给花儿浇水。

小男孩给鱼儿喂食。

种花小贴士

有的花需要天天浇水，有的花一个星期才需要浇一次水。给花浇水的时候要考虑到花的习性。

花儿发芽了，小女孩继续给花儿浇水。

养鱼小贴士

给鱼儿换水的频率不要太高，要依据水质情况的实际变化而定。只要水中的杂质比往日有增加，就要考虑换水。

小男孩给小鱼换上干净的水。

种花小贴士

我们需要给花施肥，不同的花需要不同的肥料。有的花只需要在浇水的时候加入营养液就可以了，有的花需要施肥后深埋。

小女孩给花儿施肥，让它快快长大。

小男孩给小鱼买来水草。

花儿要开了，它想晒太阳了。

鱼儿慢慢长大了。

种花小贴士

有的花喜欢晒太阳，但有的花不喜欢太阳，我们就不能让花儿晒太阳了。所以养花一定要根据花的习性来浇水、施肥或者晒太阳。

花儿开了，真漂亮。

养鱼小贴士

养热带鱼时，大鱼如果产卵生了小鱼，一定要快点把小鱼捞出来，否则大鱼会不小心把小鱼吃掉的。

大鱼生了小鱼，鱼儿又有新伙伴了。

小女孩没有种出七色花来，小男孩也没有养出一条大大的鱼，但是他们依然很开心。